ro
ro
ro

rororo

Markus Osterwalder, geb. 1947 bei Zürich, Schriftsetzerlehre, Graphiker bei einem Schulbuchverlag in Paris, dann bei einem Hamburger Verlag für die Zeitschrift «Akut». Mehrere Jahre Layouter beim «ZEITmagazin». Jetzt künstlerischer Leiter bei einem Kinderbuchverlag in Paris. Mitarbeit bei den Zeitschriften «Yps», «Pop», «Popfoto», «Sounds», «Graphia» u.a. Autor des Illustratoren-Nachschlagewerkes «Dictionnaire des Illustrateurs 1800–1914», Paris. Lebt in Arcueil bei Paris.

Bisher sind u.a. folgende Titel von Bobo Siebenschläfer bei rotfuchs erschienen:
«Bobo Siebenschläfer», «Bobo Siebenschläfer macht munter weiter», «Bobo Siebenschläfer ist wieder da», «Bobo Siebenschläfer wird nicht müde», «Das Beste von Bobo Siebenschläfer» und «Bobo Siebenschläfers neueste Abenteuer».

Markus Osterwalder

Bobo Siebenschläfers allerneueste Abenteuer

Bildgeschichten
für ganz Kleine

Rowohlt Taschenbuch Verlag

3. Auflage September 2015

Originalausgabe
Veröffentlicht im Rowohlt Taschenbuch Verlag,
Reinbek bei Hamburg, März 2015

Lektorat Christiane Steen
Nach der TV-Serie «Bobo Siebenschläfer»
(Drehbücher: Leona Frommelt und Jürgen Egenolf,
Regie: Dorothee Mersmann) produziert von JEP-Animation
in Koproduktion mit WDR / WDR mediagroup / Les Films de la Perrine
Umschlag- und Innenillustrationen

Umschlaggestaltung any.way, Barbara Hanke / Cordula Schmidt
Satz aus der Dante MT, PostScript, InDesign
Druck und Bindung Mohn media Mohndruck GmbH,
Gütersloh, Germany
ISBN 978 3 499 21708 1

Inhalt

8 Bobo im Zoo

26 Bobo kauft ein

44 Bobo beim Kinderarzt

60 Picknick im Park

76 Bobo und der kleine Hund

92 Bobo am Strand

108 Bobo und die Babysitterin

Bobo im Zoo

Heute ist Bobo mit Mama und Papa im Zoo.

Bobo kann es kaum erwarten,
all die Tiere zu sehen!

Schon hat Bobo
etwas Spannendes entdeckt.

Da sind die Zebras …

… und da stehen die großen Giraffen.

Im Becken schwimmt ein Krokodil.

Huii, wie weit es sein Maul aufreißen kann!

Da sind die lustigen Pinguine.

Die Pinguinkinder lieben es,
ins Wasser zu springen!

Jetzt hat Bobo noch
ein neues Tier entdeckt.

Ein Papagei!

Papa Siebenschläfer nimmt Bobo auf die Schultern.
So kann Bobo den Papagei besser sehen.
«Bobo!», ruft der Papagei.

«Der Papagei kann ja deinen Namen sagen, Bobo»,
sagt Mama Siebenschläfer.

Jetzt möchte Bobo den Affen anschauen.

Ob der Affe auch «Bobo» sagen kann?
Nein. Der Affe isst nur eine Banane.

Aber er kann sich
unter dem Arm kratzen.

Das kann Bobo auch!

Jetzt steckt sich der Affe
einen Finger in die Nase.

Bobo auch.
Das ist lustig!

Der Affe kann ganz tolle Kunststücke machen.
Bobo probiert es gleich mit.

Plumps! Bobo ist umgefallen.
Macht nichts!

Jetzt möchte Bobo den Löwen anschauen.
Der Löwe schläft…

… oder vielleicht doch nicht?

Nein, der Löwe ist wach.
Wie laut er brüllt!

Bobo läuft schnell zu Mama und Papa.

Jetzt wollen Bobo, Mama und Papa
eine kleine Pause machen.

Pick, pick, pick!
Die Spatzen picken die Krumen von Bobos Brot auf.

Dann fliegen sie davon.
Tschüs, Spatzen!

Das war ein schöner Ausflug. Mama und Papa wollen mit Bobo wieder nach Hause gehen.

Bobo ist schon auf
Papas Arm eingeschlafen.

«Bobo!», schreit der Papagei,
als sie vorbeigehen.

«Psst!», sagt Papa Siebenschläfer.
«Bobo schläft.»

Auf Wiedersehen, Zoo.
Bis zum nächsten Mal!

Bobo kauft ein

Heute geht Bobo mit seiner Mama einkaufen.

Bobo liebt es, mit Mama
in den Supermarkt zu gehen.

Die Türen gehen
von ganz allein auf und zu!

Bobo hat den kleinen
Einkaufswagen entdeckt.

Er schiebt den Wagen ganz allein.

Oh! Jetzt ist Bobo mit dem Einkaufswagen gegen einen Stapel mit Kisten gestoßen.

Der Kistenstapel fängt an zu wackeln.

Eine Kiste fällt von
ganz oben herunter …

… und landet auf Bobos Kopf!

Huhu, wo ist Bobo?
Mama hat ihn schon gefunden.
«Hallo, Bobo!», sagt sie.

Mama nimmt Bobo die Kiste vom Kopf.
«Jetzt wollen wir Marmelade kaufen, Bobo.»

Bobo weiß, wo die Gläser mit Marmelade stehen.
Hmmm, Bobo liebt Erdbeermarmelade!

Er stellt ein Glas in seinen Einkaufswagen.

«Jetzt brauchen wir noch Milch», sagt Mama.

Die Milchtüten stehen im Kühlregal.

Huuu, die Milchtüte ist ganz kalt!

Schnell stellt Bobo die Milch
in den Einkaufswagen.

Bobos Hände sind immer noch kalt.

Aber Mama reibt sie schnell wieder warm.

Jetzt will Bobo das Toiletten-papier holen.

Die Tüte mit den Papierrollen ist ganz schön groß! Kannst du Bobo noch sehen?

Bobo hat das Toilettenpapier auf den Einkaufs-wagen gelegt.

Bobo möchte noch Obst kaufen.

Lecker, Bananen!

Aber was hat Bobo jetzt entdeckt?

Einen riesigen Stapel mit Orangen!
Bobo liebt Orangen.

Vorsichtig nimmt Bobo eine Orange aus dem Stapel.

Rumpel-
dipumpel!
Die Orangen
kullern alle
herunter!

Bobo ist mitten in den Orangen versteckt.
Ob der Verkäufer ihn findet?

Ja, der Verkäufer zieht Bobo aus den Orangen heraus.
«Wen haben wir denn da?», fragt er fröhlich.

Mama kommt und nimmt Bobo in den Arm.
«Nichts passiert», sagt der nette Verkäufer.

Bobo darf die Orange behalten.
«Danke!», sagt Mama.

Dann setzt sie Bobo
zwischen die Einkäufe in den Wagen.

«Jetzt müssen wir nur noch bezahlen», sagt Mama.
Aber Bobo antwortet nicht.

Er ist schon gemütlich
mit der Orange im Arm eingeschlafen.

Bobo beim Kinderarzt

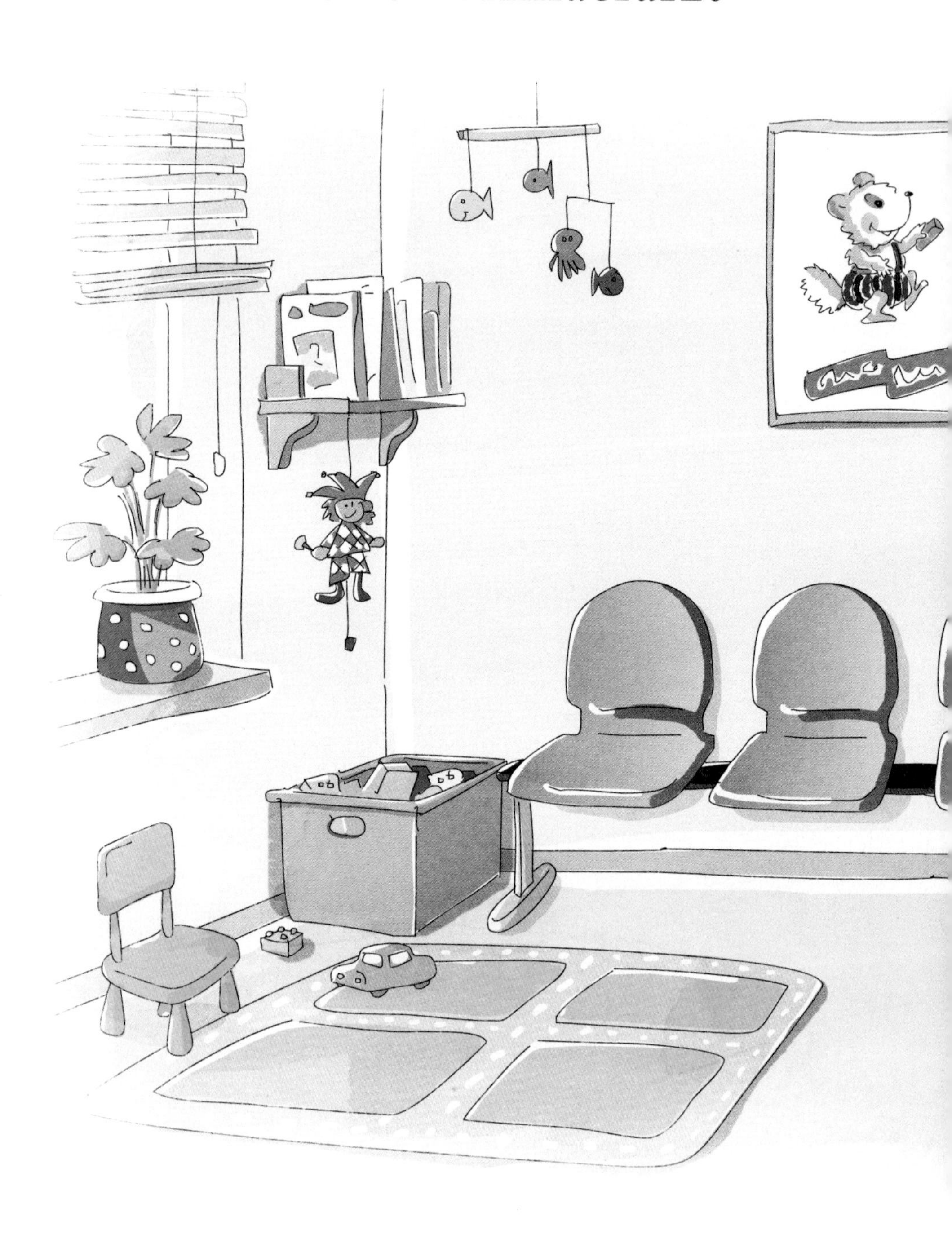

Heute ist Bobo mit Mama beim Kinderarzt.

Gerade wird Bobos Name aufgerufen.

Mama geht mit Bobo ins Sprechzimmer.

Doktor Otter möchte untersuchen,
ob Bobo ganz gesund ist.

Bobo hat ein bisschen Angst vor Doktor Otter.
Schnell versteckt er sich hinter Mama.

Doktor Otter ist sehr nett.
«Kuckuck!», sagt er.
«Wen hast du denn da mitgebracht, Bobo?»

Bobo zeigt Doktor Otter
seinen Kuschelaffen Trix.

«Wollen wir
nachmessen,
ob Trix gewach-
sen ist?», fragt
Doktor Otter.
«Ja!», sagt Bobo.

Bobo muss Trix
ganz gerade halten.
«Dein Affe ist
30 Zentimeter groß»,
sagt der Doktor.
«Ob du wohl
größer bist, Bobo?»

Natürlich ist
Bobo größer!
Er ist sogar seit
dem letzten
Besuch ein
ganzes Stück
gewachsen.

Jetzt möchte Doktor Otter gern Bobos Herz abhören.
Bobo klettert mit Trix auf die Liege.

Aber Bobo hat vor dem komischen
Abhörding Angst.

«Willst du mal *mein* Herz klopfen
hören, Bobo?», fragt Doktor Otter.
Das will Bobo!

Bumm-bumm-bumm,
hört Bobo.

Jetzt darf Doktor Otter Bobo auch abhören.
Bobo soll die Luft anhalten.

Pfffft!, pustet Bobo
die Luft wieder aus.

Doktor Otter
möchte gern
in Bobos Hals
gucken.

«AAAAAAA-
AAAAHH!»,
sagt Bobo
ganz laut.

Mama muss
sich die Ohren
zuhalten,
so laut hat
Bobo «Aaaah»
gesagt.

Bobo soll auch zeigen, ob er auf einem Bein stehen kann. Einmal auf dem linken Bein …

… und einmal auf dem rechten Bein.

Das ist aber wackelig! Huiii, fliegt Affe Trix durch die Luft.

«Hab dich!»,
sagt Doktor Otter und fängt Bobo auf.

Aber Trix ist unter dem Stuhl gelandet.

«Trix aua!», sagt Bobo.
Doktor Otter soll Trix wieder gesund machen.

Der Doktor legt Trix auf die Liege.
«Du kannst mir helfen, Bobo», sagt er.

Er nimmt
einen kleinen
Verband aus
einem Schrank.

«Doktor Bobo,
möchten Sie den
Affen verbinden?»,
fragt er.

Bobo freut sich.
Schnell klettert
er auf den
Hocker.
Doktor Otter
gibt Bobo
den Verband.

Dann verbindet Bobo
sein Kuscheltier.

«Fertig!»

Bobo ist auch fertig.
Mama Siebenschläfer nimmt Bobo auf den Arm.

«Sag auf Wiedersehen zu Doktor Otter, Bobo», sagt Mama.
Doch Bobo ist schon gemütlich
auf ihrem Arm eingeschlafen.

Picknick im Park

Bobo, Mama und Papa wollen heute
ein Picknick im Park machen.

Bobo hat sein neues Laufrad dabei.

Er versteckt sich hinter dem Springbrunnen.
«Bobo, wo bist du?», ruft Papa.

Bobo spritzt mit Wasser.
«Kuckuck!», sagt er.

«He, du Frechdachs!» Papa lacht.
«Na warte. Ich kriege dich!»

Aber Bobo ist mit seinem Laufrad
viel schneller als Papa.

Er kommt als Erster bei Mama an.

Jetzt wollen sich Mama und Papa
ein bisschen ausruhen.
Mama breitet die Decke auf der Wiese aus.

Bobo möchte noch weiter Laufrad fahren.
Ob er es schafft, den Hügel hinaufzufahren?

Uuuih, das ist
ganz schön anstrengend!

Geschafft! Bobo ist oben
auf dem Hügel angekommen.

Von hier oben sehen
Mama und Papa ganz klein aus.

«Hallo, Bobo!», rufen sie.
«Komm zu uns runter.»

Bobo
fährt los …

… er saust
den Hügel hinunter.

Angekommen!
Das hat Bobo
toll gemacht!

Jetzt will Bobo
nicht mehr
Laufrad fahren.
Er nimmt sich
den Helm ab…

… und trinkt
aus der Flasche
mit Wasser.

Da liegt ja
der Ball!
Bobo möchte
mit Mama
und Papa
«Schweinchen
in der Mitte»
spielen.

Als Erstes
ist Bobo das
Schweinchen.
Mama wirft
den Ball bis
in den Pflau-
menbaum.

Die Pflaumen
purzeln auf
Papas Kopf.

Alle müssen
lachen.

Mama will den Ball zu Bobo werfen.

Aber der Ball landet im Springbrunnen.

Als Bobo den Ball holen will,
fängt es an zu regnen.

«Komm schnell in unser Zelt!»,
rufen Mama und Papa.

Bobo will nicht,
dass sein Laufrad nass wird.

Er schiebt es zu Mama und Papa
unter die Decke.

Der Regen hat wieder aufgehört.
Was hat Bobo jetzt entdeckt?

Ein Regenbogen
leuchtet bunt am Himmel!

«Das ist aber schön, nicht wahr, Bobo?»,
fragt Mama.
Aber Bobo antwortet nicht.

Er ist gemütlich an sein Laufrad
gekuschelt eingeschlafen.

Bobo und der kleine Hund

Heute darf Bobo auf den Hund
von Frau Kunze aufpassen.

Bobo freut sich schon sehr auf Pucki.

Da kommt Frau Kunze schon.
Sie hat Pucki an der Leine.

Pucki freut sich auch sehr, Bobo zu sehen.

«Danke fürs Aufpassen», sagt Frau Kunze.
«Bis nachher!»

Pucki kennt Bobos Garten schon.
Er zieht Bobo mit sich.

Mama Siebenschläfer macht Pucki die Leine ab.
Dann können Bobo und Pucki besser
zusammen toben.

Pucki möchte etwas mit Bobo spielen.
Aber was?

«Stöckchen werfen!», schlägt Bobo vor.

Bobo wirft
das Stöckchen
hoch in die
Luft …

… Pucki
fängt es auf …

… und bringt
es Bobo zurück.
Gut gemacht,
Pucki!

Diesmal
wirft Bobo
ein bisschen
weiter.
Pucki läuft
hinterher.

Aber was
bringt Pucki
denn da
zurück?
Eine Bananen-
schale!

Bobo und
Mama lachen.
«Stöckchen
holen musst
du wohl noch
üben, Pucki»,
sagt Mama.

Jetzt hat
Pucki Durst.
Er läuft zur
Regentonne
und trinkt
Wasser.

Bobo gießt
sich Saft in
einen Teller.

Er will auch
so trinken
wie Pucki!

Was hat Bobo
denn jetzt vor?

Bobo hat die
Waschschüssel
umgedreht.

Er möchte
mit Pucki ein
Kunststück üben!
«Komm, Pucki!»,
ruft Bobo.

Bobo hält
Pucki ein
Leckerli
hin.

Pucki soll
sich auf den
Hinterpfoten
herumdrehen.
Das klappt
ja prima!

Zur Belohnung
darf Pucki
das Leckerli
haben.

Jetzt hat Bobo
die Hängematte entdeckt.

«Komm mit, Pucki!»

Bobo zeigt
Pucki, wie man
in die Hänge-
matte klettert.

Uff!
Ganz schön
schwierig.

Geschafft!

«Jetzt du, Pucki!», sagt Bobo.

Pucki macht einen großen Satz,
mitten in die Hängematte hinein.

«Toll gemacht, Pucki!»,
sagt Bobo.

Mama bringt etwas zu essen
für Bobo und Pucki.

«Wo seid ihr denn?», ruft sie.
Aber niemand antwortet.

Bobo und Pucki sind ganz gemütlich
in der Hängematte eingeschlafen.

Bobo am Strand

Heute geht Bobo mit Mama und Papa
an den Strand.

Bobo
freut sich
schon sehr
aufs Meer.

Wie schön!
Das Meer
leuchtet
ganz blau.

Bobo läuft
zum Wasser.
Mama
Siebenschläfer
schaut
ihm zu.

Die Wellen
spülen mit viel
Schwung an
den Strand.
Bobo hat ein
bisschen Angst
vor ihnen.

Aber jetzt
traut Bobo
sich näher
heran.

Plumps!
Die Welle
hat Bobo
umgeschubst.
Macht nichts.

Bobos Füße
stecken im Sand.
Das ist lustig!

Bobo kann
sich ganz weit
nach vorn
lehnen und
fällt nicht um.

Zurück
geht es auch.

Da hüpft
ein Fisch aus
dem Meer.

Er schwimmt
in der Pfütze
zu Bobos
Füßen.

Bobo hält dem
Fisch seinen
Finger hin.
Er knabbert
daran.
Das kitzelt!

Bobo findet Muscheln am Strand.

Er will Mama Siebenschläfer
ein paar davon bringen.

Oh, die Muschel bewegt sich!

Ein kleiner Krebs steckt darunter!

Der Krebs gräbt sich im Sand ein.

Jetzt ist er ganz verschwunden.
Bobo schaut ihm hinterher.

Was hat Bobo da gefunden?

Einen glänzenden Flaschendeckel!
Den möchte Bobo Mama zeigen.

Papa Sieben-
schläfer läuft
dem Sonnen-
schirm hinterher,
den der Wind
davonträgt.

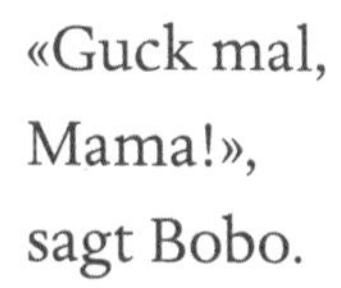

«Guck mal,
Mama!»,
sagt Bobo.

«So ein
schöner Deckel!
Danke, Bobo!»,
sagt Mama.

Jetzt will Bobo mit Mama schwimmen gehen.
Er läuft schon voraus ins Wasser.

Hui, die Wellen platschen lustig!

Bobo hat ein bisschen Salzwasser geschluckt.
Schnell hebt Mama ihn hoch.

Alles wieder gut!

Mama hält Bobo fest.

Wenn die Wellen zu hoch sind,
nimmt sie Bobo auf den Arm.

«Wer möchte etwas zu trinken?», ruft Papa Siebenschläfer.
Jetzt steckt der Sonnenschirm fest im Sand.

Bobo möchte etwas trinken.
Mama trägt ihn den Sandhügel hinauf.

Im Schatten
kann Bobo
eine kleine
Pause machen.

«Am Strand ist
es schön, nicht
wahr, Bobo?»,
fragt Mama.
Aber Bobo
antwortet nicht.

Er ist gemütlich
auf seinem
Handtuch
eingeschlafen.

Bobo und die Babysitterin

Es ist schon Abend.
Wer geht denn da um Bobos Haus?

Bobo weiß es schon: Es ist Nina, Bobos nette Babysitterin.
Mama und Papa Siebenschläfer
wollen nämlich heute Abend ausgehen.

Da klingelt es. Bobo öffnet die Tür.
«Nina! Nina!», ruft er.

«Hallo, Bobo!», sagt Nina
und wirbelt Bobo durch die Luft.

Das macht Spaß!

Bobo gibt Papa Siebenschläfer
zum Abschied ein Küsschen.

Mama Siebenschläfer gibt Bobo
zum Abschied ein Küsschen.

«Wollen wir Pfannkuchen backen?», schlägt Nina vor.
Das will Bobo gern.
Schnell gehen die beiden in die Küche.

«Tschüs, Bobo. Bis nachher!»

Nina verrührt die Eier in einer Schüssel.

Bobo darf das Mehl dazugeben.

Huh, das staubt aber!

Jetzt darf Bobo den Teig verrühren.

Nina gibt den Pfannkuchenteig in die Pfanne.

Als er fest geworden ist,
wirft Nina den Pfannkuchen in die Luft …

… und fängt ihn wieder auf!

«Bobo auch!», ruft Bobo.

Nina hilft Bobo dabei, den Pfannkuchen
in die Luft zu werfen.

Er landet genau auf Bobos Teller!

Bobo legt seinen Pfannkuchen zusammen.
Jetzt kann er ihn mit den Händen essen.

Hmmmmm, lecker!

Nina räumt die Küche auf.
Dabei tanzt sie ein bisschen herum.

Bobo schlägt mit dem Rührlöffel
gegen die Schüssel. Das ist die Musik!

Jetzt möchte Bobo noch etwas spielen.
Er läuft ins Wohnzimmer.

Aha – Bobo will wohl
eine Kissenschlacht machen.

Nein: Bobo möchte doch lieber Verstecken spielen.
Er klettert über das Sofa …

… und versteckt sich vor Nina.

Nina hat Bobo gefunden!
Aber was macht Bobo jetzt?

Bobo hat das Kissen aus Versehen gegen die Lampe geworfen. Die Lampe wackelt!

Aber Nina hält sie schnell fest.
Puh, nicht umgefallen!

«So, jetzt erzähle ich dir noch eine
Gutenachtgeschichte, Bobo», sagt Nina.
Sie nimmt Bobo auf den Arm.

Bobo ist schon ganz müde.
Er reibt sich die Augen …

… und ist schon bald
auf Ninas Schoß eingeschlafen.

Das für dieses Buch verwendete Papier ist FSC®-zertifiziert.